FERNANDO J. OBRADORS

CANCIONES CLÁSICAS ESPAÑOLES

VOLUMEN II

LAS GRACIOSAS

I

Tirana del Zarandillo

..........dicen que así contestaba la naranjera a los requiebros que oía frente al puesto.........

F. J. OBRADORS

Scherzando.
-di - llo an - di - llo yan - di-llo Za - ran - di - llo an -
quasi pizz.
stacc.

poco rit.
f deciso.
-di - llo yan - dar. ¡Te la vov a can - tar!
f

Scherzando.
¡Ay!
Es - tos
p

co - mer - cios de ces - ta sí que son deu -

-ti - li - dad
si que
m.i.

son de u - ti - li - dad
m.d.
m.i.
f

rall.
a tempo.
Za-ran - di - llo an - di - llo y an - di - llo Za - ran -
pp
stacc.
rall.

rall.
-di - llo an - di - llo y an - dar.
a tempo.
f
rall.

f Menos
Con intención
rall.
espress.
ten.
Me la vas a es - cu - char: Un
Menos
f
ten.

co - ra - zon - ci - to ten - go tan a - ma - ble y

tan jo - - vial,
rall.

ten.
a tempo
que no hay hom - bre en es - te mun - do
ten.
a tempo

a quien yo le quie_ra mal.
deciso

pp
En _ ga_ño a los vie_jos con
pp
sfz
p

mis mo_ne _ rí _ as, Em _ bro_mo a los mo_zos con mis tu _ ne_
sfz
p
sfz
sfz

_rí _ as con mis tu _ ne _ rí _ as
p
mf

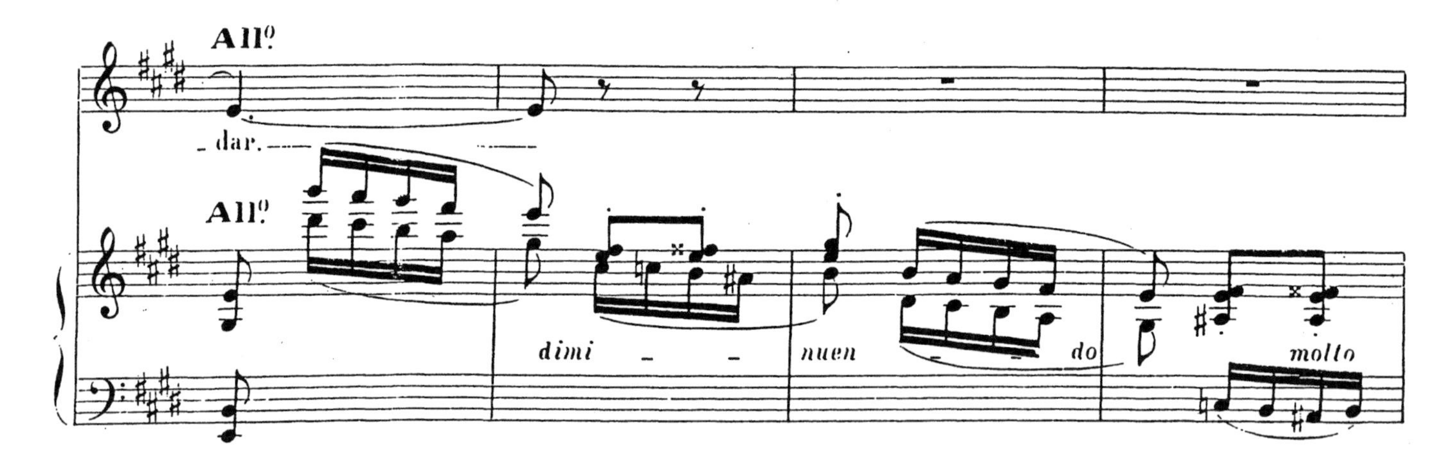

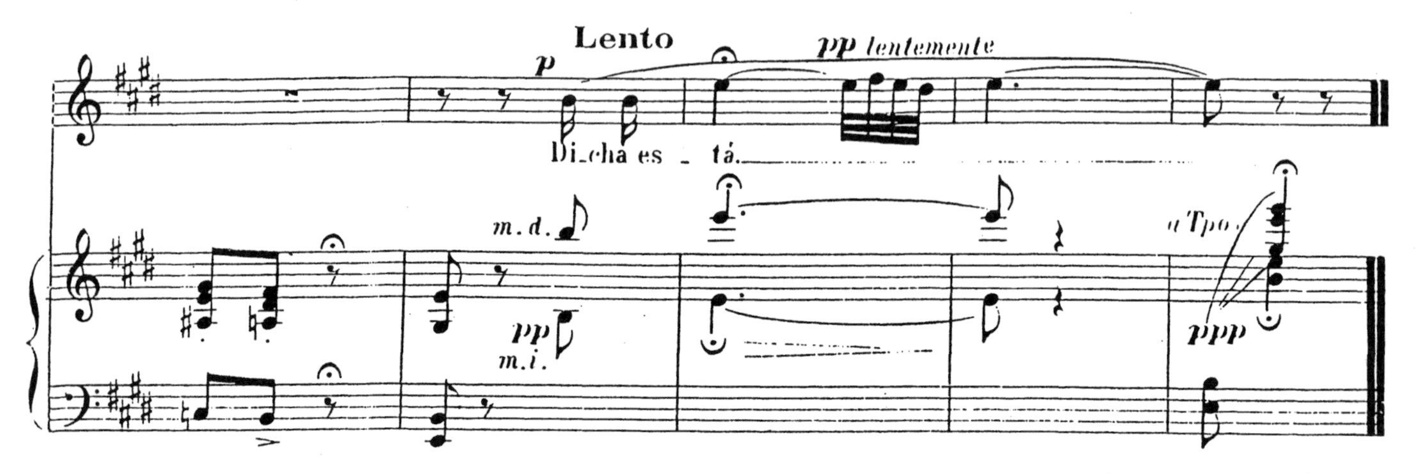

Sobre un tema de
P. Esteve_1779.

II

Consejo

De "El Ingenioso Hidalgo"
Don Quijote de la Mancha
(Historia del curioso impertinente)

T.º di Pavana

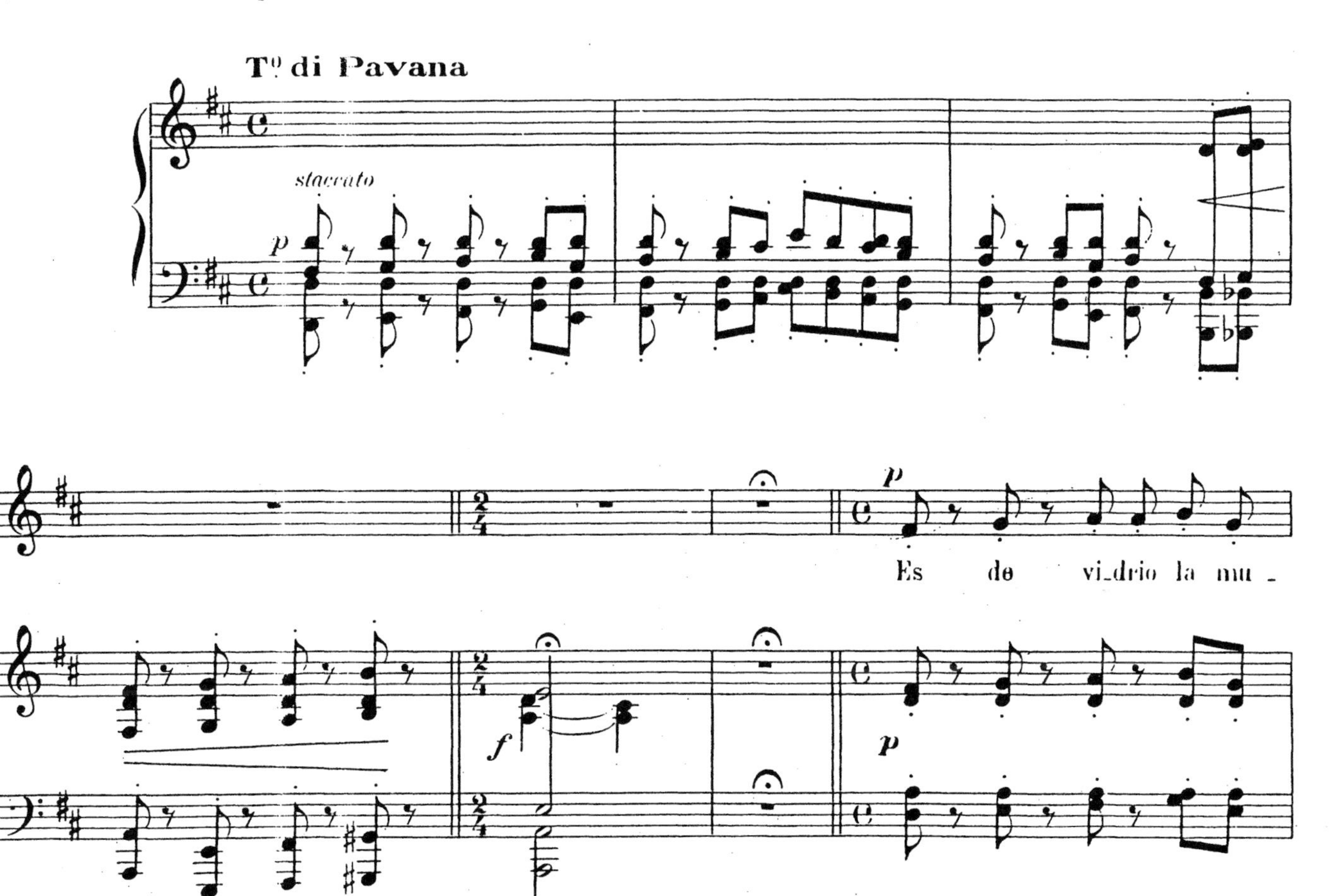

a tempo
to - do po-drí - a ser.
p
a tempo

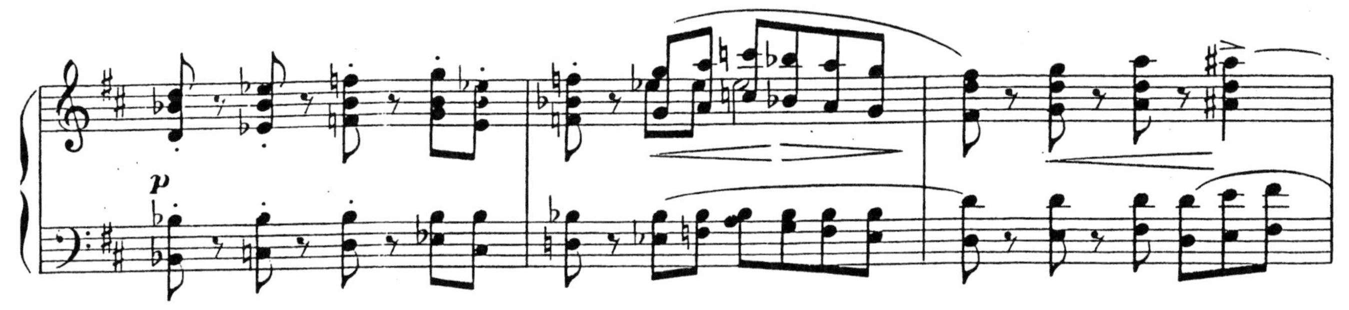
p

Facilité
¡Ah!
f
¡Ah!
Y es más fá-cil el que - brar - se y no es cor -
mfz
p espr.

f
du - ra po-ner - se a pe-li-gro de rom - per - se
f
p
m.i.
espres.

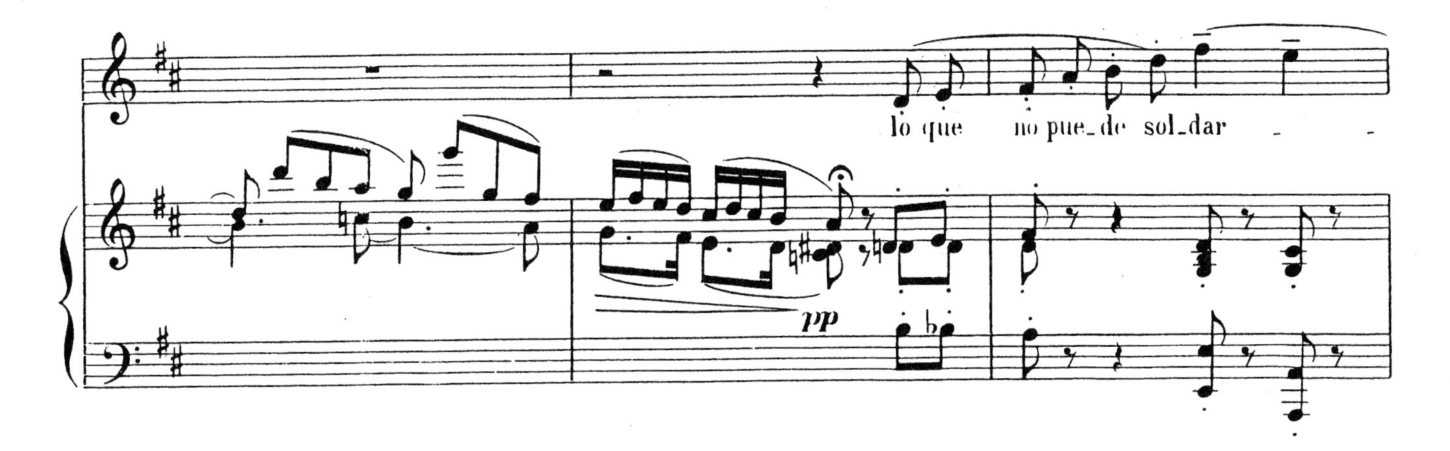
lo que no pue_de sol_dar - -
pp

espres.
_ se. Que es de vi_drio la mu - jer,

sfz
sfz
pe_ro no se ha de pro - bar por que to - do po -

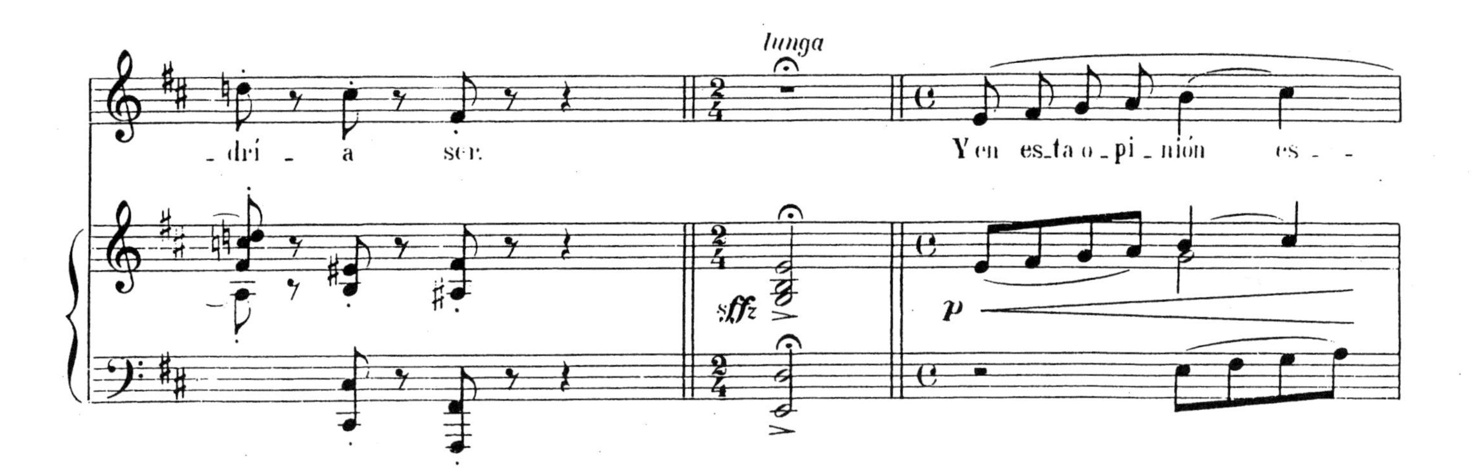
lunga
_dri - a ser. Y en es_ta o_pi_nión es_ -
sffz
p

-ten —— to-dos, y en ra-zón la fun-do: Que si hay Da-na es en el
p
mun-do, —— hay plu-vias de o-ro tam- -
rall.
p
-bien ——
Lento.
Que es de vi-drio la mu-
pp
rall.
pp
p
f
morendo.
-jer ——
m.d.
acell.
m.i.
morendo.
8
pp

III

El Tumba y lé

Tema y letra popular

rudamente
Aun - que soy chi - qui - lla
si to - po un ma - ri - do
simile
ten - dré de él ca - da a - ño
dos o tres chi - qui - llos, Tum - ba y
lé que me voy con - ti - go, tum - ba y
lé que lue - go me i - ré, tum - ba y
lé pa - ra ir al mo - li - no tum - ba y

lé pa-ra ir a mo - ler.

Aun-que yo no ten - go más queun buey man -

-si - to en-tre él y yo ha - re - mos más que seis no -

-vi - llos. Tum - ba y lé que me voy con - ti - go, tum - ba y
p

lé que lue-go me i - ré. Tum - ba y lé pa-ra ir al mo -
8
f

-li - no, tum - ba y lé pa-ra ir a mo - ler.
8
loco.

f

Los mo - zos te -
-mien - do que me em - bis - ta un to - ro di - cen que
qui - te mi jus - ti - llo ro - jo. Tum - ba y
lé que me voy con - ti - go, tum - ba y lé que lue - go me i -
loco.

-ré, tum-ba y lé pa-ra ir al mo - li - no, tum-ba y
8
pp
cres - cen -

lé, pa-ra ir a mo - ler.
8
loco
- do
f
ff
sffz

Tum-ba y lé que me voy con - ti - go, tum-ba y
sffz

cresc
lé, tum-ba y lé.
¡Ah! ¡Ah! ¡Ah!
¡Ah! ¡Ah! ¡Ah!
f dim.

Pe_ro aun_que se di _ ce que: tras cuer_nos,
rudamente
sf
pa _ los, yo tan so_lo te _ mo a los del di _ a_blo;Tum_ba y
pp
sf
pp subito
crescendo
sf
pp subito
8
lé que me voy con _ ti _ go, tum_ba y lé que lue_go me i _ ré.
8
loco
f
loco
Tum _ ba y
sff
sff
ppp

-lé pa-ra ir al mo - li - no, tum-ba y lé pa-ra ir á mo -
8

-ler. Tum - ba, Tum - ba, tum - ba y lé ¡Ah!

8 loco

Tum ba y lé.
8
f
ff

Ah! ah!
cri
grito
8 loco
deciso
ff
ff

IV

La moza y los Calvos

Romance de Francisco de Quevedo Villegas

Tº de Jácara
f

En es_to hu _ yen _ do de un cal _ vo ___ En _ tró u_na

mo_ za de As _ tu _ rias, De las que di_cen que ol_

_vi _ dan
los co_go_tes en la
cu _ no:

con fantasia
Ya vo _ ces de_ses _ pe _ ra _ das (ah!) (¡ah!)

Mal_di _ cien _ do su ven _ tu _ ra (ah!) (¡ah!)

Di _ jo de a _ ques _ ta ma _ ne _ ra ca _ ri _ har_ta y
Menos

ce _ ji _ jun _ ta: ¡ah! ¡ah: Tra la la, la, la,

la, Tra la la, la, la, la, la, la, la.

cal _ vos van

los hom - - bres ma - - dre

Cal - vos van,

p
mas e - - llos ca - -
p

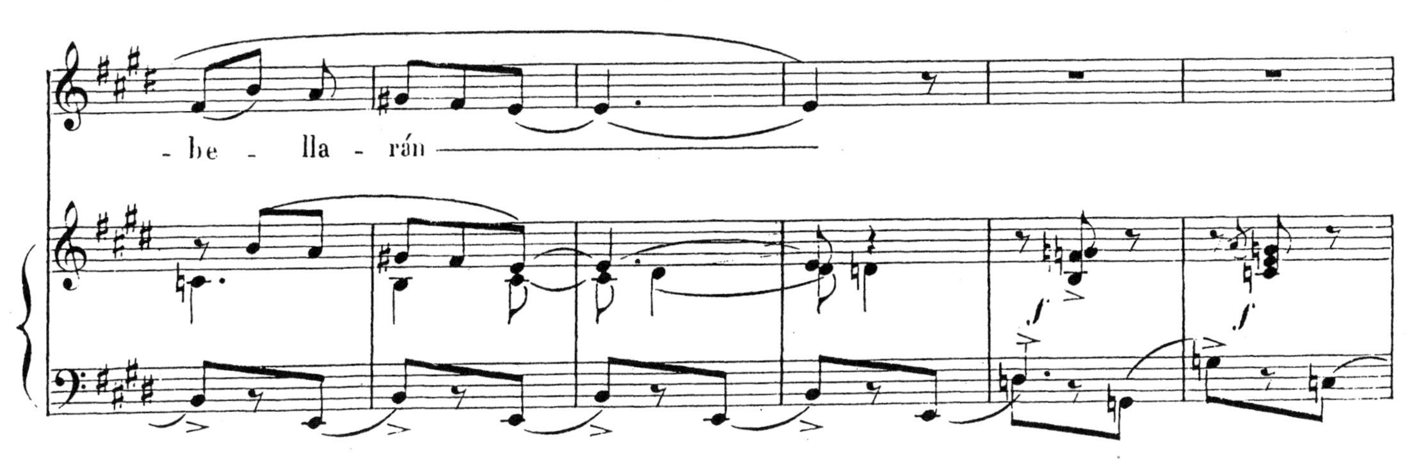
- be - lla - rán
f
f

f alegre.
Tra la, la, la, la, la,
la, la, la, la, la, la, la, la, la, la. ¡Ah!
accel.
rall.
I.º Tpo.
Si a los hom - bres los que - re - mos pa - ra pe -

-lar-los a - cá
Y pe-la-dos vie-nen
ya
Y pe-la-dos vie-nen
ya
Sí
Lento.
no hay que pe-lar ¿Qué ha - re - mos, eh?
¿Eh?
p
Antes mo-rir que en-cal - ve - mos,
(ah,)
(¡ah!)

A - ler - ta hi - jas de A - dan, A - - ler - ta hi -
8

-jas de A - dan, Ah, Ah, Tra, la, la, ja, ja,
p stacc.

ja Tra la la (ah, ah, ah, ah, ah, ah,)
Picados.

¡Ah!
f
mf

¡Ah,
¡Ah!
mf

mf
marc.

cal - vos van,

los hom - bres ma - dre

Cal - vos,

van,

rinfrz
Mas e - llos ca - be - lla - rán

rinfrz
fff
pp comme des clochettes

seco
seco

V

Confiado Jilguerillo

ARIETA

Sobre un motivo de Asis Galatea
de Antonio de Literes. (Siglo XVIII)

_mis_te aún no le ha_llas_te cuan_do_le per_dis _ _ te.

Tº di Minuetto
rall.

a tpo p
Si de ra_ma en ra_ma si de flor en
a tpo
f
p

flor i _ bas sal _ tan_do bu_llen_do y can_
f

-tan - do
¡Di-cho-so quien a-ma las an-sias de a-
tr
f

-mor!
I - bas sal-
p

-tan-do
i - bas sal-tan-do bu-llen-do y can-

-tan - - do
¡Ah!

Di - cho - so quien a - ma las an - sias de a -

- mor I - bas, i - bas sal - tan - do bu -

- llen - do, càn - tan - do, ¡Ah!

Di - cho - so quien a - ma las an - sias de a - mor.

p
Ad - vier - te que a - prie - sa es llan - to la
a tpo.
rit.
p
ri - sa y el gus - to ma - yor.
es llan - to
la ri - sa y el gus - to ma - yor
¡Ay!
¡Ah!
8a alta

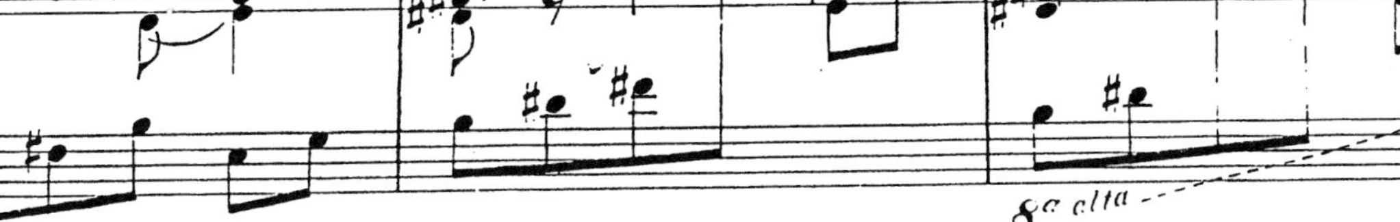
8a alta

el llan - to la ri - sa y el gus - to ma -

- yor.
¡ Ah'!

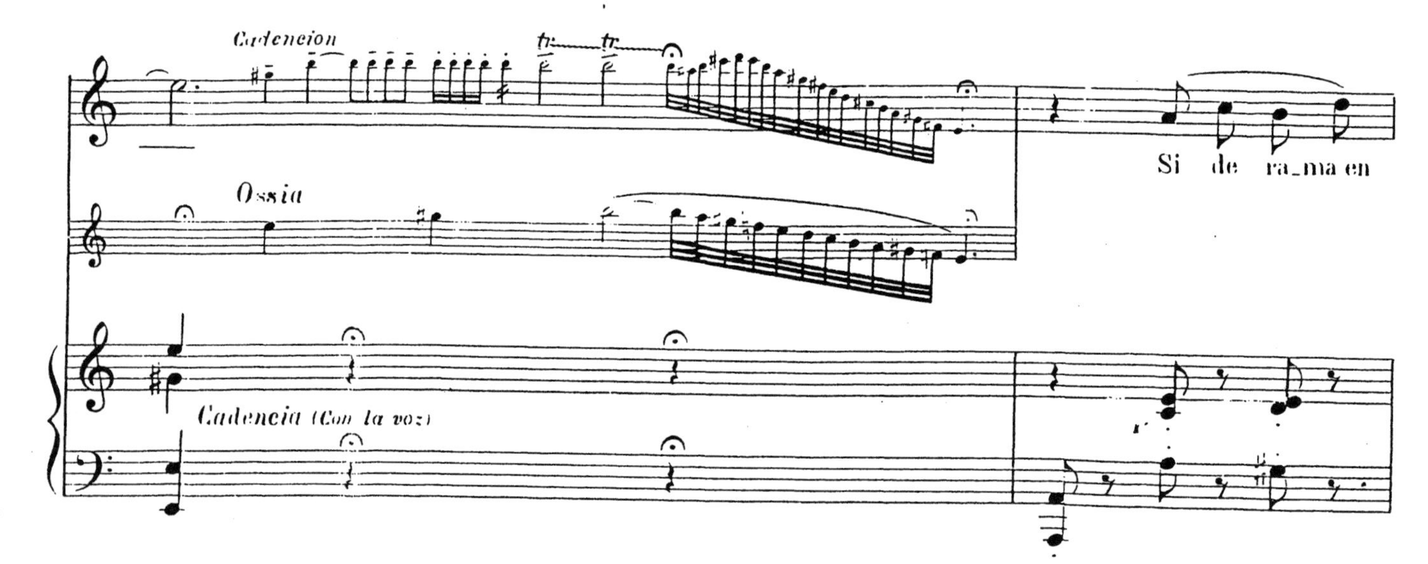

Cadencion
Ossia
Cadencia (Con la voz)
Si de ra_ma en

ra - ma
Si de flor en flor.
sf
p
f

i - bas sal - tan - do, bu - llen - do y can - tan - do
tr
f
¡Di - cho - so quien a - ma las an - sias de a - mor!
f
I - bas sal - tan - do
p
f
I - bas sal - tan - do bu - llen - do y can - tan - - - - -

-do ¡Ah! Di-cho-so quien
p
a-ma las an-sias de a-mor. I - bas, i - bas sal-
-tan - do, bu-llen - do, can-tan - do
rall.
¡Ah! Di-cho-so quien a-ma las an-sias de a-
rall.
rall.

Quasi cadensa.
-mor. ¡Ah! de a - mor.
¡Ah!
¡Ah!.........
¡Ah!........
¡Ah!
ten.
¡Ah! - á ¡Ah! - á ¡Ah! - á
Amplio.
Di - cho - so quien
fp

ad lib.
pp
f
a - ma (¡ah! . . . .) las an - sias de a-mor
ppp
f deciso.
(¡Ah! . . . .) Sal tan do (Ah) bu -
-llen - do, y can - tan - do va
Candensa.
tr

a tempo
va de ra ma en ra ma va de flor en

flor. ¡Ah!

va de flor en flor